[CORNAC]
5, rue Sainte-Ursule
Québec (Québec) G1R 4C7
info@editionscornac.com

Illustrations: Michel Carbonneau
Design graphique: Paul Brunet
Révision: Marie-Claude Masse
Impression: Imprimerie Lebonfon inc.

Distribution:
Prologue
1650, boul. Lionel-Bertrand
Boisbriand (Québec) J7H 1N7
Téléphone: 450 434-0306
1 800 363-2864
Télécopieur: 450 434-2627
1 800 361-8088

Distribution en Europe:
D.N.M. (Distribution du Nouveau Monde)
30, rue Gay-Lussac
F-75005 Paris, France
Téléphone: 01 43 54 50 24
Télécopieur: 01 43 54 39 15
www.librairieduquebec.fr

Les éditions Cornac bénéficient du soutien financier du gouvernement du Québec – Programme de crédit d'impôt pour l'édition de livres – Gestion SODEC et sont inscrites au Programme de subvention globale du Conseil des Arts du Canada.
Nous reconnaissons l'aide financière du gouvernement du Canada par l'entremise du Fonds du livre du Canada (FLC) pour nos activités d'édition.

Conseil des Arts du Canada Canada Council for the Arts

Dépôt légal – 2014
Bibliothèque et Archives nationales du Québec
Bibliothèque et Archives Canada
ISBN: 978-2-89529-303-3
978-2-89529-304-0 (ePub)

1. La grande aventure d'Orion
La vraie histoire des lutins

Texte de Nadia Perron et Régis Tremblay
Illustrations de Michel Carbonneau

Édition revue et corrigée

Nadia Perron et Régis Tremblay

LA GRANDE AVENTURE D'ORION

La vraie histoire des lutins

Il y a de cela plusieurs siècles, le Père Noël a choisi le pôle Nord pour y installer son royaume. Parce que c'est un endroit tranquille et peu passant, Père Noël savait que ses lutins allaient pouvoir y travailler de longues heures à la fabrication de jouets sans être dérangés ou distraits par des visiteurs fouineurs ou des enfants curieux.

Par une belle journée de la mi-novembre, Père Noël reçut la visite du plus vieux de ses lutins, **Orion, âgé de 1000 ans, un de ses compagnons de la première heure*.**

– Tiens! Bonjour Orion, comment vas-tu, mon vieil ami? On m'a dit que vous aviez tous fait un travail remarquable à l'atelier, cette année. Georgio, votre contremaître, m'a confié que tout était déjà presque prêt pour notre grande distribution des cadeaux... Oh! mais quelle tête tu fais! Quelque chose te tracasse, dis-moi? demanda le Père Noël intrigué.

– Ah! je vais bien, Père Noël! répondit précipitamment Orion. Vous avez raison, tout est prêt, ou presque... et je m'en réjouis... **Seulement...**

– Seulement...? Qu'est-ce qu'il y a, dis-moi? Allons! parle Orion, tu ne vas tout de même pas commencer à me faire des cachotteries après toutes ces années passées ensemble? dit le Père Noël.

— Eh bien, Père Noël… je me demandais… Vous savez combien j'aime les enfants ? Oui ! Évidemment que vous le savez… Eh bien, voilà ! Puisque nous avons pris un peu d'avance cette année, j'ai pensé que peut-être, **avec votre permission…**

— Oui… ? demanda Père Noël de plus en plus intrigué par l'attitude de son vieil ami.

— Eh bien, vous savez, je n'ai pas vu d'enfants de près depuis des années, finit par avouer Orion ; de les voir rire, chanter et s'amuser me manque terriblement…

— Mais bien sûr ! s'écria Père Noël, comprenant enfin ce que son lutin voulait lui demander. Pourquoi ne pas me l'avoir dit plus tôt, cher Orion?! Tu me sers fidèlement depuis des années, travaillant sans relâche! Tu as bien mérité **un petit séjour parmi les enfants,** c'est la moindre des choses! Je t'accorde avec plaisir la permission que tu me demandes... à deux conditions, cependant.

– Oh! tout ce que vous voudrez, Père Noël! répondit Orion au comble de la joie.

– J'aurai besoin de toi la nuit de Noël et tu devras être de retour auprès de moi et des autres lutins **pour aider à la grande distribution.**

– Évidemment, Père Noël, je ne manquerai cela pour rien au monde! Oh!

merci ! merci ! répliqua Orion **rempli de bonheur !**

– Un instant, Orion. Il y a une autre condition, poursuivit Père Noël. Tu devras te rendre dans un endroit où je pourrai facilement te retrouver en cas de besoin, tu comprends, on n'est jamais trop prudent... Allons ! Où pourrais-je t'envoyer? murmura Père Noël en réfléchissant. Paris, peut-être? Avec sa tour illuminée... Non ! mauvaise idée, Paris est trop vaste*, je pourrais prendre des jours à te retrouver ! New York? Hum ! même problème... Alors Montréal? Encore trop gros...

Orion ne tenait plus en place pendant que Père Noël poursuivait son tour du monde à voix haute à la recherche d'un bon endroit et il commençait à craindre que Père Noël ne change d'idée, car aucune ville ne semblait lui convenir. Alors qu'il commençait vraiment à désespérer, Père Noël s'écria :

— **Voilà ! J'ai trouvé !** Pourquoi n'y ai-je pas pensé plus tôt ! Orion, tu te souviens de cette région fabuleuse où, il y a de cela bien longtemps, s'était perdu Bébé Lutin ?

— **Oh !** mais bien sûr que je m'en souviens, Père Noël.

— **C'est l'endroit idéal,** poursuivit Père Noël, près d'un grand lac, un secteur parsemé de kettles*, très facile à repérer si j'ai besoin

de te retrouver rapidement ! Il y a de très beaux villages dans ce coin et des enfants, aussi ! Alors, **Orion mon ami,** tu as ma permission. Pars, je te souhaite un très bon séjour, dit Père Noël, tout sourire.

Sur ces mots, Orion se précipita à l'atelier pour prendre son plus joli bonnet et, bien sûr, pour saluer ses copains les lutins qui le regardaient avec envie se préparer au départ : eux aussi auraient bien aimé voir plus souvent des enfants de près ! Tous l'entouraient, excités, en lui souhaitant bon voyage ; Georgio, le contremaître, lui offrit gravement **un petit flacon de poudre magique,** lui conseillant d'en user sagement pour ses déplacements, et Elta, sa meilleure amie, ne cessait de lui répéter combien elle l'enviait de pouvoir vivre une telle aventure.

C'est donc dans la joie et les « au revoir » chaleureux de ses amis lutins qu'Orion entreprit le voyage qui le mènerait vers les enfants qu'il aimait tant. Prêt pour l'aventure, il appliqua un peu de poudre magique sous ses bottes et **POUF !** Dans une pluie de pépites scintillantes, il traversa en un instant des kilomètres de neige et de glace et se retrouva sur les rives d'un grand lac entouré d'arbres.

Personne n'était en vue, tout semblait calme. Une mince couche de neige recouvrait le sol et Orion avança avec précaution à travers la forêt à la recherche d'habitations. Il s'arrêta soudain : mélangé à l'odeur des sapins qui l'entouraient, Orion reconnut un arôme qui l'enchantait. « **Hum !** je reconnais cette odeur », pensa-t-il tout joyeux. « C'est celle des enfants : il y a des enfants dans les parages*, **quel bonheur !** » Il s'avança encore doucement et vit une école, un parc et quelques maisons. Plus loin, sur un écriteau, il lut : *Rue des Crespieuls* et **Bienvenue à Lac-à-la-Croix.** « Bon ! Eh bien, je suis à Lac-à-la-Croix, semble-t-il. Mieux vaut attendre la nuit pour poursuivre ma visite ; pour l'instant, une petite sieste est tout indiquée », pensa Orion. Il regagna donc la forêt et, épuisé par tant d'émotions, s'endormit, couché confortablement sous un gros sapin.

À son réveil, le soleil venait de se coucher et Orion décida de retourner au village pour voir les enfants de plus près. Tout était calme, pas même un souffle de vent dans les arbres. Alors qu'il s'avançait vers les habitations, on n'entendait que le crissement de ses petites bottes sur la neige. Tout doucement, il s'approcha d'une maison aux fenêtres éclairées. Ce qu'il y vit lui fit pousser un cri de ravissement! « **Des enfants!** Un, deux, trois, quatre enfants! Oh! Comme c'est merveilleux, les enfants! Comme ils ont l'air de bien rigoler! Quelle joie de les voir enfin! » À ce moment, une odeur exquise vint chatouiller les narines du lutin. En effet, la maman des enfants venait d'entrer dans la pièce avec une grande assiette remplie **de galettes* au chocolat** tout juste sorties du four.

« Oh ! des galettes au chocolat ! Oh là là ! Et moi qui ai l'estomac dans les talons ! » pensa-t-il un peu dépité. Malgré sa faim, Orion savait bien que toute tentative pour subtiliser* une galette serait trop risquée ce soir-là et décida donc de retourner sous son sapin pour trouver une solution : il devait réussir à se procurer de la nourriture ! Il finit par s'endormir au lever du jour, n'ayant pas encore trouvé le moyen d'apaiser son ventre qui gargouillait.

Ce matin-là, **William, neuf ans, et Alexis, sept ans,**

deux des enfants aperçus la veille par Orion dans la maison, rendirent visite à leur grand-père avant d'aller à l'école, comme ils en avaient l'habitude. **Quelque chose de bizarre, de jamais vu, attira leur attention.**

– Grand-père, regarde ces petites traces dans la neige... C'est étrange, ce ne sont pas des traces de chat, ni de souris, ni de fourmi. Quel animal laisse ce genre de traces? Certainement pas un ours ou un orignal! Il y en a partout! Regarde, Grand-père! Même le sol sous notre fenêtre est tout piétiné! dit Alexis, stupéfait*.

— **Oh! Oh!** les garçons, ces traces ressemblent beaucoup à des traces de lutins ! Il y a longtemps que j'en avais vu par ici ! répondit leur grand-père.

– Oh ! Grand-père ! Arrête tes blagues ! Nous sommes de grands garçons ! dirent en chœur* les deux frères amusés.

– Mais je ne blague pas ! Pas du tout !! Quand j'étais jeune, j'ai moi-même capturé un lutin, vous savez ! ajouta le grand-père avec conviction.

— Pour vrai ? demanda William d'un air sceptique*. Tu ne nous as jamais raconté cette histoire…

— Comment tu t'y es pris ? enchaîna Alexis, intéressé.

– Oh ! c'est assez simple, il suffit d'installer un piège, répondit le grand-père avec un grand sourire.

Et il leur expliqua qu'il fallait utiliser un sac de jute dans lequel on déposait un **morceau de chocolat**; à l'aide d'un bâton ou d'un bout de bois, on maintenait le sac ouvert, et les lutins, qui étaient de petits êtres très gourmands, se faisaient prendre dans le piège en tentant de récupérer le chocolat... **Tout simple!**

– Nous n'avons pas de morceau de chocolat, mais maman a fait des galettes au chocolat, hier soir. **Est-ce que tu crois que ça pourrait attirer un lutin?** demanda Alexis tout excité.

— **Oh! sûrement!** Les lutins adorent le chocolat sous toutes ses formes, mais aussi la compagnie des enfants. Si vous installez un piège, vous avez de très bonnes chances de réussir à en capturer un... D'ailleurs, je ne serais pas étonné d'apprendre qu'il y en a déjà un qui vous surveille! Ce sont de petits coquins qui adorent jouer des tours; il faudra vous méfier, si vous en ramenez un à la maison... je ne suis pas sûr que ça va plaire à votre maman! Mais assez parlé, les enfants! Nous verrons cela à votre retour ce soir, ne vous mettez pas en retard pour l'école!

Les deux frères quittèrent donc leur grand-père. La journée de classe leur sembla durer des semaines et ils étaient impatients de revenir à la maison **pour mettre leur projet à exécution.**

Enfin de retour de l'école, et après avoir rassemblé tout ce qu'il leur fallait, **galette au chocolat incluse,** William et Alexis retrouvèrent leur grand-père.

– C'est bien, les garçons ! Il faut maintenant choisir un sapin sous lequel installer votre piège, dit-il.

– Un sapin, Grand-père ? demanda William étonné.

– Oui, c'est l'arbre que les lutins préfèrent... j'imagine que ça leur rappelle **le sapin de Noël !**

William, Alexis et leur grand-père trouvèrent donc un beau grand sapin, près de leur maison, **et y installèrent soigneusement leur piège.**

– Voilà! Tout est en place, les garçons, **il ne manque plus que le lutin...** Maintenant, il est temps de rentrer. Nous viendrons voir demain si votre galette aura réussi à attirer un de ces petits coquins gourmands, dit Grand-père.

Pendant ce temps, Orion, qui s'était reposé toute la journée sous son sapin dans la forêt, se réveilla brusquement, aux aguets* et le cœur battant. Il faisait nuit noire, tout semblait calme autour de lui, mais il entendait pourtant un bruit étrange, une sorte de froissement, qui attira son attention. Il se leva doucement, observant les sapins alentour, et aperçut soudain un foulard scintillant qui semblait venir d'apparaître, suspendu à une branche ! Il s'avança vers l'objet, intrigué. Quelle ne fut pas sa surprise de voir **Elta,** son amie Elta, tout abasourdie*, comme tombée du ciel dans une poussière d'étoiles !

— C'est toi Elta ? C'est bien toi ?!! Mais que fais-tu là ? Comment es-tu arrivée ici ? demanda Orion stupéfait.

— Bonsoir, Orion ! De la même façon que toi ! Grâce à la poudre magique de Georgio ! Je voulais vivre cette aventure avec toi, alors quand notre contremaître s'est absenté pour le repas, j'en ai profité pour lui subtiliser un de ses précieux flacons... et me voilà! lui répondit Elta en riant.

– Wow! C'est fantastique! Je suis heureux de te voir, Elta... Dis-moi, as-tu pensé à prendre des provisions? Je n'ai rien avalé depuis mon départ! J'ai bien repéré des enfants, ils sont merveilleux, attends de voir, mais **j'ai une de ces faims!!!**

– Des provisions? Ça ne m'a même pas traversé l'esprit! J'étais si impatiente de te rejoindre, mon cher Orion, que je n'ai pensé à rien d'autre! lui dit Elta.

— Qu'importe*! Nous trouverons bien un moyen de nous remplir le ventre!

Allons, suis-moi, je vais te montrer les

enfants ! ajouta Orion, heureux de pouvoir partager sa trouvaille avec sa copine.

Et les deux lutins, tout à la joie de s'être retrouvés, retournèrent au village d'un bon pas. Orion guida son amie dans le sentier qu'il avait emprunté la veille pour se rendre à la maison des quatre enfants... et des galettes si appétissantes. En chemin, ils croisèrent à nouveau l'écriteau sur lequel on pouvait lire « Bienvenue à Lac-à-la-Croix ».

– Lac-à-la-Croix ? s'exclama Elta. Ce nom me dit quelque chose, Orion ! J'ai déjà entendu parler de ce village...

– Pas étonnant ! C'est dans cette région que Père Noël a découvert **Bébé Lutin,** lui répondit son ami. Mais viens, viens donc ! répliqua Orion impatient. Les enfants demeurent dans cette maison que tu vois là-bas !

– Non, c'est autre chose… une histoire… **Bah ! Tu as sans doute raison,** je dois confondre avec l'aventure de Bébé Lutin. Je te suis.

Doucement, les deux lutins s'avancèrent à petits pas dans la neige. Ils contournèrent quelques bosquets dénudés* et soudain, ils furent frappés par le plus exquis des arômes* : **un mélange de sapinage et de chocolat.**

– Oh ! regarde, Elta ! Qu'est-ce que c'est que ça ? Tu sens ce que je sens ? dit Orion en s'approchant du sac de jute déposé sous le sapin par les enfants.

— Sois prudent Orion, on ne sait jamais! tente de le prévenir Elta. Mais elle est attirée elle aussi par le parfum alléchant qui se dégage de l'étrange objet.

La vue de la galette fit fondre les dernières réserves de nos amis qui se retrouvèrent l'instant d'après en train

de dévorer le délicieux appât, assis au fond du sac! Ils avaient à peine entamé la galette que **le piège se referma sur les deux amis** dans le noir.

— **Au secours!** Que se passe-t-il?! Orion! On ne voit plus rien!

Les deux lutins se débattirent de toutes leurs forces, mais peine perdue! Ils étaient bel et bien pris au piège et ne pouvaient s'en échapper. Au bout d'un certain temps, voyant que leurs efforts ne menaient à rien, ils cessèrent de lutter et se calmèrent.

– Voyons, notre situation n'est pas si mal. Au moins, on a à manger et quelqu'un viendra sûrement nous sortir de là! dit Orion d'un ton léger.

— Orion ! Ça me revient, maintenant ! s'écria Elta. Je sais où j'ai entendu ce nom de Lac-à-la-Croix ! Tu te souviens de l'histoire que racontait parfois Georgio à propos de ce lutin qui avait un jour été capturé à l'aide d'un morceau de chocolat déposé dans un sac par un petit garçon... à Lac-à-la-Croix, au Lac-Saint-Jean ? J'avais toujours cru que c'était une légende ! **Une histoire pour nous faire peur !**

— Eh bien, trop tard pour t'en souvenir, ma vieille ! Maintenant, on est « dedans », répliqua Orion en riant. **Chouette !** Si comme tu le penses, ce piège nous a été tendu par des enfants, on aura vraiment l'occasion de rigoler et de leur jouer des tours... **c'est merveilleux!**

– Oui! Merveilleux, comme tu dis! Qu'est-ce qu'on aura à raconter aux copains à notre retour! répondit Elta enthousiaste.

Le lendemain matin, au saut du lit, William et Alexis enfilèrent bottes, tuques et manteaux et coururent vers leur piège, impatients de voir s'ils y trouveraient un lutin. En les entendant approcher, les deux lutins jouèrent le jeu et se figèrent comme des statues, attendant impatiemment d'être « découverts ». En voyant les nouvelles traces près du sapin, les deux frères eurent du mal à contenir leur excitation. Leur grand-père les ayant rejoints, ils s'avancèrent tous trois doucement vers leur sac. Le bâton était tombé, le sac était refermé... Ils s'approchèrent davantage et soudain, ils aperçurent deux mignons petits chaussons munis de grelots bleus... Deux? Non! Quatre petits chaussons qui dépassaient du sac!

– Eh bien, les garçons! Quel coup de maître*! **Vous avez réussi à capturer deux lutins,** leur annonça leur grand-père, dont la voix trahissait la fierté.

William et Alexis, eux, étaient sans voix, trop stupéfaits par leur découverte. Il faut dire qu'ils n'étaient pas du tout sûrs que leur grand-père ne leur avait pas raconté une blague, mais là, devant le succès de leur piège, ils devaient se rendre à l'évidence : Grand-père disait vrai, **les lutins existaient vraiment !**

– Wow ! dit finalement William. Incroyable ! Qu'est-ce qu'on fait maintenant, Grand-père ?

– Eh bien, sortons-les du sac et rentrons-les dans la maison. Vas-y, William, prends-en un et Alexis prendra l'autre.

Un peu nerveux, les deux frères saisirent les deux lutins avec précaution. Ils les sortirent doucement du sac et les amenèrent à l'intérieur. **Léa, leur petite sœur de cinq ans, et Nolan, le benjamin* de la famille qui avait trois ans,** accoururent pour voir ce que portaient leurs grands frères. Ils étaient fascinés par les deux lutins. Le premier avait une belle barbe blanche et était vêtu d'un chandail vert avec des boutons bleus sur le torse et aux poignets, d'une petite veste noire et avait des pantalons d'un beau rose éclatant. Son bonnet était rose et noir avec une petite touche de vert et ses chaussons étaient dorés. Sur le bonnet et les chaussons, on retrouvait des grelots du même bleu que sur les boutons du chandail. Le second lutin était visiblement de sexe féminin. Elle était vêtue d'une jolie tunique à carreaux roses, verts et blancs, serrée à la taille par une grosse ceinture noire, d'un pantalon court et de jolis bas verts rapiécés aux genoux. Son bonnet, lui aussi rapiécé, était rose, comme ses chaussons. Et comme sur le premier lutin, on retrouvait de beaux grelots bleus sur les habits de cette « lutine ».

– Bleuets ! dit Nolan en riant, en pointant les grelots du doigt.

– Oh ! mais oui, ce sont bien des bleuets ; en tout cas, ils en ont la forme. Comme c'est étrange, dit la maman, qui avait aussi accouru pour voir ce que rapportaient ses garçons.

– Ils ne bougent pas, dit Léa déçue. On dirait des poupées !

— Oh ! Oh ! ma chérie, ne te laisse pas prendre, lui expliqua son grand-père. Tu vois, les lutins sont très coquins : le jour, ils sont figés comme des statues, mais le soir, quand tout le monde dort, ils deviennent **de véritables joueurs de tours**... Ils sont très astucieux*, tu verras ! Vous devriez même les attacher pour éviter les dégâts dans la maison !

Le soir venu, William et Alexis déposèrent les deux lutins sur une étagère de leur chambre. Après discussion, les deux frères avaient décidé de suivre le conseil de leur grand-père et avaient noué une cordelette autour des chevilles de leurs lutins. Ils n'attachèrent cependant pas les mains de leurs petits amis, croyant qu'entraver leurs jambes serait suffisant, d'autant plus qu'ils n'étaient toujours pas convaincus que leur grand-père disait vrai à propos des lutins joueurs de tours... Mal leur en prit*! Ce soir-là, dès que les enfants s'endormirent, Orion et Elta se libérèrent facilement de leurs attaches et visitèrent la maison, tout heureux de l'occasion. Ils inspectèrent toutes les armoires, **se régalèrent de pépites de chocolat,** se servirent du lait dans le frigo et laissèrent des miettes de galettes partout sur le plancher! Au matin, quelle ne fut pas la surprise des enfants quand ils constatèrent que les lutins n'étaient plus sur leur étagère... et qu'ils les retrouvèrent assis par terre dans la cuisine, le visage barbouillé de chocolat, au milieu de tout un fouillis!

– Papa ! Maman ! Venez vite !!! crièrent-ils.

Toute la famille se retrouva dans la cuisine, **tous étaient bouche bée*** devant un tel

spectacle. William et Alexis se rendirent chez leur grand-père pour lui raconter ce qui s'était produit chez eux. Grand-père en rit aux larmes!

– Je vous l'avais bien dit! Méfiez-vous, car ils ont d'autres tours dans leur sac à blagues, nos amis les lutins! Ils ont jusqu'au soir du réveillon pour vous faire des friponneries et, croyez-moi, ils en profiteront jusqu'au bout! leur dit leur grand-père, hilare.

– Comment ça, Grand-père, jusqu'au réveillon? demanda Alexis.

– Eh bien, vois-tu, ils sont ici par faveur spéciale: le père Noël les a autorisés à nous rendre visite, mais **le soir de Noël,** il a besoin de tous ses lutins pour réussir à livrer les cadeaux à tous les enfants du monde... et ils vont repartir pour l'aider.

– Comment sais-tu tout ça, Grand-père? demanda Alexis étonné.

– Oh! je ne vous l'ai pas dit... vous savez que vous pouvez leur poser des questions et ils vous répondront. Vous n'avez qu'à noter vos questions sur une feuille, toutes vos questions, tout ce que vous aimeriez savoir à leur sujet et ils vous donneront la réponse!

— Tu veux dire qu'ils peuvent nous parler? répliqua William sceptique.

– Essaie, tu verras! répondit Grand-père avec un sourire énigmatique.

Ce soir-là, William et Alexis déposèrent donc une lettre sur leur table de chevet, demandant aux lutins leur nom et leur âge, et s'endormirent. Au matin, ils constatèrent que les lutins étaient toujours assis sagement sur leur étagère... mais qu'ils tenaient l'un et l'autre **un petit parchemin roulé et attaché avec une mince corde dorée!** Les deux frères déroulèrent impatiemment les deux messages, mais... **oh! déception!!!** Ils étaient écrits dans une langue qu'ils ne connaissaient pas, avec plein de **signes et de symboles étranges...**

— Maman ! Maman ! Nos lutins nous ont écrit, mais on n'arrive pas à déchiffrer leur message ! s'écrièrent William et Alexis en chœur.

— Que dites-vous, les garçons ? Venez, je suis dans la salle de bains en train de coiffer Léa ! leur répondit leur mère.

— Regarde maman, dit William en lui tendant le curieux bout de papier.

– Oh ! quel charabia ! Je suis bien incapable de déchiffrer ce message, lui répond sa maman en prenant le parchemin et en le retournant dans tous les sens.

– Laisse-moi voir, dit Léa en prenant le papier et en le mettant à la hauteur de ses yeux.

— **Oh !** s'écria William en voyant le reflet du message dans le miroir, Léa, tu es un petit génie ! **Regarde !** Alexis, viens vite !

En effet, William venait de découvrir qu'en regardant **le reflet du message dans le miroir,** celui-ci devenait parfaitement lisible...

Le premier parchemin disait : « Cher William, je me nomme Elta, j'ai 999 ans, j'arrive du Pôle Nord et attention ! je suis très coquine ! »

Le second précisait : « Cher Alexis, je me nomme Orion, j'ai 1000 ans et j'adore jouer des tours, méfiez-vous ! »

À partir de ce jour, tous les matins, **c'était la fête !** Les enfants étaient impatients de voir les coups pendables qu'avaient commis Elta et Orion pendant la nuit ou les réponses que les lutins donnaient à leurs nombreuses questions. C'est ainsi qu'ils apprirent le fonctionnement des ateliers du Père Noël, les méthodes de fabrication des jouets, le système qu'utilisait le Père Noël pour savoir si les enfants étaient gentils ou non et comment le Père Noël arrivait à livrer tous les jouets, à tous les enfants du monde, en **une seule nuit magique.** Message après message, Orion et Elta dévoilèrent plein de secrets. Le plus stupéfiant fut sans doute une anecdote à propos d'une lointaine visite du Père Noël dans le Sud. Voici, à force d'acharnement, question après question, ce que les enfants découvrirent.

Il y a près de 500 ans, un 25 juillet, lorsqu'il n'y avait que les nomades innus et leurs nombreux enfants qui vivaient ça et là autour du grand lac et que le village de Lac-à-la-Croix ne connaissait encore aucune maison, le Père Noël avait permis à l'équipe de lutins d'Orion de prendre de courtes vacances à cet endroit pendant la belle saison. D'ailleurs, en entendant ce récit, les parents de William, Alexis, Léa et Nolan se demandèrent si ce n'était pas là **l'origine du Noël du campeur !** Comme nous l'avons compris, les lutins avaient choisi de s'installer autour du chapelet de petits lacs, car, vu du ciel, c'était un repère facile pour les rennes du Père Noël. **Imaginez !** Les lutins du Père Noël, dans la grande chaleur de l'été, tombèrent dans les talles de bleuets, ces petits fruits bleus qui, lorsqu'on les déguste, nous font oublier toutes nos obligations. La joie régnait dans ce royaume et, c'est toujours d'ailleurs la grande particularité de ce coin de pays : on y cultive le bonheur comme les fruits sauvages. Alors, pendant ces brèves vacances, Orion et Elta avaient pris en charge deux groupes de lutins qui ne pensaient qu'à cueillir ces fameux bleuets et s'en régaler. De plus, à tour de rôle, ils s'occupaient de Bébé Lutin, un bambin de 94 ans que tous adoraient et choyaient. Mais voilà, la région n'était pas aussi inhabitée qu'elle en avait l'air. En effet, les Innus, qu'on nommait Montagnais à une certaine époque, parce qu'ils vivaient non seulement dans les plaines autour du lac, mais aussi en montagne, étaient un peuple de chasseurs-cueilleurs. Ils se déplaçaient au rythme des saisons en cherchant de la nourriture pour garnir leur garde-manger. À cette époque de l'année, il n'était donc pas étonnant que les mamans innues et leurs enfants cueillent aussi des bleuets, car cette mine de vitamines était connue par eux depuis des siècles. **Et comment y résister ?** Déjà, en ce temps-là, les lutins figeaient le jour et ne commençaient à bouger qu'au déclin du soleil. Couchés pendant le jour dans de petits bosquets, ils se cachaient des enfants innus, car tous les enfants aiment les lutins et les lutins aiment les enfants ; or **ce n'était pas le temps d'être capturés,** car il y avait trop de travail à accomplir au pôle Nord pour se permettre un long séjour dans le Sud. Le temps venu, les rennes arrivèrent avec les traîneaux lumineux pour ramener les lutins à leur travail dans les ateliers du Père Noël.

Dans la cohue* du départ, une grande confusion régna. Orion croyait qu'Elta s'occupait de Bébé Lutin, alors qu'Elta était certaine qu'Orion s'en chargeait. Ce n'est que revenu au royaume qu'on s'aperçut de la catastrophe : **Bébé Lutin était resté derrière, seul !** Le Père Noël garda son calme et rassura tout le monde en disant que Bébé Lutin ne pouvait pas être en si mauvaise posture, avec ces bleuets autour de lui pour le rassasier. Il ajouta qu'il n'était pas impossible qu'un enfant innu l'ait trouvé et adopté. Ils repartirent donc sur-le-champ à la recherche du bébé perdu. Heureusement, **les kettles** qui parsemaient les environs étaient faciles à repérer du ciel. Très vite, ils se retrouvèrent à terre, entamant leurs recherches. Soudain, le Père Noël exigea le silence de tous les lutins éclaireurs. **« Chut ! ! ! »** leur lança-t-il. « Écoutez ce bruit à travers le concert des cigales et des ouaouarons. » En effet, remarquèrent Elta et Orion, un tintement de clochettes perçait l'harmonie nocturne. **Clinc clinc cliiinc! Clinc clinc cliiinc! Clinc clinc cliiinc!** « C'est peut-être Bébé Lutin qui nous appelle », chuchota Orion.

Le Père Noël, assis aux commandes de ses rennes, fit signe que oui en souriant. **Clinc, clinc, cliiinc! Clinc, clinc, cliiinc! Clinc clinc cliiinc!** Les lutins éclaireurs s'approchèrent doucement de l'endroit d'où provenait le son et découvrirent un spectacle féérique: une nuée de lucioles voltigeait autour de Bébé Lutin. Ce dernier agitait un grand bouquet de bleuets qui résonnaient dans l'air comme autant de clochettes avec le **«Clinc, clinc, cliiinc!»** qui avait attiré leur attention. Depuis ce temps, les lutins du Père Noël ont adopté **le bleuet comme emblème porte-bonheur,** et tous leurs ornements d'habits, des boutons aux clochettes, reprennent la forme et la couleur du bleuet... sauf, bien sûr, ceux de Bébé Lutin qui restent blanc crème, comme les petits fruits immatures... **Voilà l'histoire la plus secrète que les lutins Orion et Elta dévoilèrent à leurs amis du Lac-à-la-Croix.**

Toute la famille était transformée par la présence des deux petits coquins. Même leur maman trouvait cocasses **tous les tours que leur jouaient leurs amis lutins :** du papier de toilette déroulé à l'infini, des tiroirs et leur contenu renversés sur le plancher, des vêtements et des objets qui disparaissaient et qui étaient retrouvés aux endroits les plus improbables, des beaux dessins sur les miroirs de la maison... sans parler de toutes les réserves de pépites de chocolat et de sucreries qui se « volatilisaient » ! La maman des enfants s'amusait de les entendre raconter leur journée aux lutins et, tous les jours, Grand-père venait aux nouvelles pour apprendre ce qu'avaient fait les deux garnements pendant la nuit. Les lutins, en écoutant les conversations de la maisonnée, apprirent que l'histoire que racontait Georgio à propos du lutin capturé par un petit garçon en 1969 était vraie. En plus, le hasard avait voulu que ce petit garçon soit aujourd'hui le grand-père de William, Alexis, Léa et Nolan ! Pour tous, **c'était une expérience fabuleuse !** Depuis l'arrivée des lutins, une joyeuse folie semblait s'être installée dans la maison, une étincelle de la magie de Noël apportée par leurs visiteurs, directement du Pôle Nord !

Les jours s'écoulaient dans **la bonne humeur.** Nolan et Léa, cependant, ne voulaient pas être en reste et rêvaient de capturer un lutin à leur tour. Léa demanda donc à William et Alexis de les aider à **préparer un piège.**

– C'est une merveilleuse idée ! Avec quatre lutins dans la maison, on rigolerait encore plus ! répondirent les deux plus grands, conquis par la suggestion de leur petite sœur.

– Oh ! je ne sais trop, les garçons, intervint alors leur maman. Deux lutins, ça peut toujours aller, mais quatre lutins risquent de faire beaucoup de dégâts dans la maison...

— Allez, maman ! Dis oui ! Ça ferait tant plaisir aux « petits » ! En plus, tu fais les plus délicieuses galettes du mooooonnnnde, lui dit William le charmeur. Personne ne peut résister à tes galettes, **même pas les lutins !**

– Bon ! répondit finalement la maman amusée devant le concert de supplications de ses enfants, mais je vous préviens: vous allez mettre la main à la pâte pour ramasser les dégâts de vos petits invités... si jamais vous arrivez à en capturer d'autres!

Orion et Elta, figés sur leur tablette, ne perdirent pas un mot de cette conversation et furent tous deux un peu tristes, parce qu'ils savaient qu'étant les deux seuls lutins hors du royaume du Père Noël, **le piège resterait vide** pour Nolan et Léa... Ils se promirent alors de redoubler d'effort afin de trouver des tours rigolos pour faire oublier leur déception aux enfants.

Pendant que leur maman cuisinait ses merveilleuses galettes au chocolat, les enfants rassemblèrent tout le matériel nécessaire pour le nouveau piège. William et Alexis prenaient leur rôle très au sérieux et les petits suivaient leurs directives à la lettre. Leur grand-père, qui les vit s'activer dehors, vint les rejoindre. Il arrivait avec **une nouvelle stupéfiante!** À la quincaillerie où il travaillait, on avait relevé d'étranges phénomènes: des choses changeaient de place mystérieusement, le contenu des boîtes à lunch de ses collègues **disparaissait** comme par enchantement et on ne retrouvait plus que des miettes; tous les matins, les étalages de décorations de Noël étaient dans un fouillis indescriptible. Personne ne pouvait expliquer ce qui se passait, mais la rumeur commençait à circuler que certaines personnes dans le village voisin de Métabetchouan, et même plus loin, avaient aperçu des petits êtres étranges qui couraient à travers les sapins... En entendant cela, les quatre enfants eurent du mal à contenir **leur excitation.** Pour eux, il ne faisait aucun doute que tous ces phénomènes bizarres étaient dûs à la présence **de nombreux lutins** dans les environs... et ils ne doutèrent pas un instant qu'avec leur ingénieux système et surtout, avec les galettes succulentes que leur maman leur préparait, ils arriveraient à en capturer d'autres! Ce soir-là, les enfants eurent beaucoup de mal à trouver le sommeil. Ils étaient si impatients de voir s'ils réussiraient à prendre au piège de nouveaux lutins!

Lorsqu'ils s'endormirent enfin, Orion et Elta se mirent tout de suite à la tâche, bien déterminés à offrir une **« performance de coups pendables »** extraordinaire pour amoindrir la déception de leurs petits amis... Figés sur leur tablette à l'intérieur de la maison, ils n'avaient pas entendu les rumeurs rapportées par Grand-père et ils ignoraient que, finalement, le piège des enfants fonctionnerait peut-être à merveille!

Au petit matin, tellement tôt qu'ils en prirent presque leurs lutins en flagrant délit, Léa et Nolan se réveillèrent. Ils entrèrent en coup de vent dans la chambre des plus vieux qui dormaient à poings fermés et constatèrent que **les lutins n'étaient plus sur leur tablette.** Nolan parcourut la maison à leur recherche pendant que Léa s'activait auprès des dormeurs :

– William ! Alexis ! Debout ! Allez, réveillez-vous ! Les lutins ont disparu... et nous voulons voir notre piège ! s'écria-t-elle.

William se retourna avec un grognement et Alexis mit son oreiller sur sa tête, mais il en fallait plus pour décourager leur petite sœur qui insistait :

– Oh ! allons, les garçons, réveillez-vous ! leur cria Léa en tirant sur leurs couvertures, les découvrant complètement, mais en vain.

Nolan entra à ce moment dans la chambre et annonça gravement que les lutins avaient disparu : il les avait cherchés partout, il avait même regardé dans le frigo, ils n'étaient nulle part dans la maison. **Cette nouvelle alarmante** finit par tirer les deux grands de leur sommeil.

— **Impossible !** grommela William, nous ne sommes que le 23 décembre et ils ne retournent au pôle Nord que pour le soir du réveillon : ils nous l'ont confirmé dans un de leurs messages !

— Allons voir notre piège, ils sont peut-être là ! proposa Léa.

Pendant que les parents dormaient encore, les quatre enfants enfilèrent leurs bottes, manteaux et tuques et sortirent dans le froid. Il avait neigé pendant la nuit et un grand manteau blanc recouvrait tout le paysage. Sous leurs yeux, les enfants découvrirent, ébahis, de nombreuses petites traces laissées dans la neige toute fraîche par des bottes de lutins! Ils s'avancèrent doucement vers leur piège. Les deux petits, un peu craintifs, restèrent derrière leurs grands frères. William et Alexis, forts de leur expérience, s'approchèrent du sac de jute duquel ils virent dépasser, comme la première fois, des petits chaussons munis de grelots bleus!

— Hourra ! Ça a marché ! Deux autres lutins, nous en avons capturé deux autres ! s'écria William.

Doucement, avec beaucoup de précautions, les enfants soulevèrent le sac et en retirèrent les lutins. Le premier était vêtu d'une chemise rayée rouge et bleu, d'une culotte noire ajustée, son bonnet à trois grelots bleus était déposé sur une grosse masse de cheveux roux et ses chaussons étaient dorés, eux aussi agrémentés des fameux grelots «**bleuets**». Il était plus petit qu'Elta et plus mince qu'Orion. Le second lutin, une fille, était la plus coquette des quatre. Elle avait une abondante chevelure blonde, de petits bleuets pendaient de ses oreilles et un joli bouquet de bleuets ornait le col de sa jolie veste rouge ; sa culotte moulante était rayée noir et bleu. Enfin, elle portait des bracelets dorés aux poignets ainsi que des bagues aux doigts.

– Ils sont magnifiques ! s'écria Léa au comble du bonheur.

Nolan, lui, s'était emparé du premier lutin et le serrait fort sur son cœur, incapable de dire un mot tellement **il était heureux d'avoir « son » coquin bien à lui.**

Avec toute cette excitation, les enfants avaient oublié **la disparition mystérieuse d'Orion et d'Elta.**

— Mais où peuvent-ils bien être? demanda finalement William, un peu inquiet. Tu es sûr, Nolan, que tu as regardé partout?

– Mais oui! répondit le petit au bord des larmes, partout, partout!

— Entrons, allons voir, proposa Alexis; il doit bien y avoir des indices quelque part!

Les enfants entrèrent donc dans la maison en portant leur précieuse cargaison dans leurs bras. Ils se dévêtirent et se mirent tous les quatre **à la recherche d'Elta et d'Orion.** Aucune trace d'eux dans la cuisine… **plutôt inquiétant.** Aucune trace d'eux au sous-sol, ni dans aucune des chambres, pas de traces non plus dans les armoires ou les tiroirs; ils n'étaient pas sous le sofa, ni sur les étagères du salon... **mais où pouvaient-ils bien être?!** Soudain, Léa poussa un cri:

– Là! Regardez! Tout en haut! dit-elle en pointant le sommet du sapin de Noël.

– Oh! la coquine! Elle s'est agrippée à l'étoile! s'esclaffa William, soulagé d'avoir retrouvé son amie Elta.

– Orion! s'écria Nolan en pointant les cadeaux de Noël (pour grandes personnes) déjà déposés sous le sapin.

— Hi hi hi! Pas étonnant qu'on ne l'ait pas repéré plus tôt, quelle fripouille ! Son habit se confond avec les couleurs du papier d'emballage, remarqua Alexis en riant.

Réveillés par les cris et les rires de leurs enfants, les parents entrèrent dans le salon. Comment ?! Deux autres lutins capturés et cette Elta qui s'est accrochée à l'étoile du sapin ! **Décidément, les surprises n'en finissaient plus dans cette famille !**

– Je suis heureuse pour vous, les enfants ! dit la maman, mais je suis tout de même un peu inquiète : quatre lutins... ouf ! Je préférerais vraiment que vous les attachiez ce soir, et solidement cette fois ! Qui sait dans quel état ils peuvent nous laisser la maison !

— Promis, maman! On les ficellera solidement, tu n'as rien à craindre... Et si jamais ils arrivent à se détacher, **on t'aidera à tout ramasser,** promis! jura William.

– Oh! mais j'y compte bien, répondit la maman en riant.

– Je me demande comment s'appellent nos nouveaux lutins, dit Léa songeuse.

– Et si on leur demandait par écrit? proposa sa maman.

Aussitôt dit, aussitôt fait! William et Alexis allèrent chercher une feuille et **posèrent la question aux nouveaux petits visiteurs.**

– Il faudra attendre demain pour la réponse... **et demain, c'est déjà le 24 décembre.** C'est donc demain qu'ils nous quittent! annonça William un peu triste.

Après cette matinée mouvementée, Orion, Elta et la « coquette » se retrouvèrent assis côte à côte sur l'étagère; quant au plus petit, le lutin roux au chapeau spectaculaire, Nolan ne le quitta pas d'une semelle et sa maman lui donna même une petite couverture de bébé pour l'emmitoufler. Le soir venu, on expliqua à Nolan que **« son » lutin devait rejoindre ses copains sur l'étagère.**

– Tu comprends, lui dit doucement William, il doit être attaché comme les autres. Maman a peut-être raison, après tout; ça ne me dit rien du tout de passer ma journée de demain à faire du ménage... et toi non plus, je parie!

Nolan se résigna finalement et les quatre lutins **furent solidement ficelés,** pieds et mains, cette fois, sur leur étagère. Ce que les enfants (et leur maman !) ignoraient, c'est qu'aucune corde, aucune ficelle, aucun lien n'étaient à l'épreuve de lutins déterminés à jouer des tours ! Dès que la maisonnée fut endormie, Orion, Elta et leurs deux comparses quittèrent leur « état de statue » et se détachèrent en un rien de temps ! Quelle joie de se retrouver ! **Et quelle surprise aussi !**

— Nom d'un traîneau à réaction !!! Firmin ! Flocon ! Comment êtes-vous arrivés jusqu'ici, vous deux ?! s'exclama Orion tout joyeux.

– Hi hi ! C'est simple, quand tu es parti, Orion, ça a réveillé l'envie de plusieurs d'entre nous de parcourir le monde, dit Firmin, le petit lutin roux.

– ... et la « disparition » d'Elta a causé tout un émoi aussi ! ajouta Flocon, la coquette. Georgio était furieux que tu lui aies subtilisé un de ses flacons !

– Oui, et le Père Noël a reconnu qu'il était bon de nous offrir des vacances à l'occasion, continua Firmin.

– ... et puisqu'on avait pris autant d'avance dans l'atelier de confection de jouets, il a donc autorisé plusieurs d'entre nous à partir à l'aventure... poursuivit Flocon.

– Nous sommes donc nombreux à parcourir le Québec, en ce moment… termina Firmin.

– Nous deux, ce qu'on souhaitait, c'était de vous rejoindre ; nous sommes donc allés voir Père Noël, qui nous a dit où vous trouver… et nous voilà !

– Dites donc, ça a l'air bien ici ! dit Firmin en regardant autour de la pièce, et qu'est-ce qu'il est gentil le petit Nolan ! Avez-vous vu comment il prend bien soin de moi ?

– Ici, c'est plus que bien, **c'est fabuleux !** lui annonça Orion. Plein de possibilités de jouer des tours et les enfants sont adorables ! Même leurs parents rigolent des tours qu'on joue…

et attendez de goûter les bons petits plats que cuisine la maman !

– Oui, mais, parfois, la maman aimerait bien qu'on soit plus sages, précisa Elta en riant.

– Eh bien ! Ce sera pour une autre fois... peut-être ! prononça joyeusement Orion. Ce soir, on fête nos retrouvailles et c'est notre dernier soir ici ; demain, c'est la soirée de la grande distribution et le Père Noël compte sur nous ; il ne faudrait pas lui faire faux bond !

– Alors, on y va ?! demanda Firmin pressé de jouer des tours.

– **ON Y VA !** s'écrièrent les trois autres en chœur.

Le reste de la nuit, ce fut la fête pour les lutins. Après avoir soigneusement rédigé la réponse pour dévoiler leurs noms aux enfants et l'avoir déposée doucement tout près de leur tête sur l'oreiller, nos quatre compères s'en donnèrent à cœur joie. Elta et Orion montrèrent aux nouveaux **les réserves de chocolats et de bonbons de Noël** que la maman avait achetés pour le temps des Fêtes. **Ils y pigèrent allègrement!** Ils firent ensuite la tournée des armoires et s'empiffrèrent de tartes et de biscuits que la maman avait préparés. En un rien de temps, on s'en doute, la cuisine fut mise sens dessus dessous avec des miettes partout, sur le plancher comme sur le comptoir. Les portes d'armoires et les tiroirs étaient béants et leur contenu renversé, une bombe avait l'air d'avoir explosé dans le frigo et de la sauce au chocolat s'était même mystérieusement retrouvée au plafond! Pour finir, les lutins firent un concours de tir avec des bleuets que Firmin avait dénichés et les murs s'en trouvaient ornés d'une multitude de petites taches bleues. Une fois rassasiés et ne trouvant plus rien à ajouter à la cuisine qu'ils trouvaient parfaite, les joyeux lurons décidèrent de faire **un tournoi de coups pendables...**

Ce matin-là, au réveil, c'est une **farandole de surprises** qui attendaient la famille! La première fut l'étagère des lutins qui était **vide...** à l'exception des quatre petites cordes qui y pendaient! Les enfants étaient pourtant sûrs de les avoir attachés soigneusement! Ensuite, ils apprirent que les deux nouveaux se prénommaient Firmin et Flocon. Léa découvrit le contenu de son tiroir de sous-vêtements sur le plancher du salon et Flocon assise dedans avec une paire de petites culottes roses sur la tête! Toutes les décorations du sapin, à l'exception de l'étoile sur laquelle était assis Orion, avaient été décrochées et déposées sans ménagement dans la sécheuse, les ustensiles de cuisine avaient été accrochés en lieu et

place dans le sapin! Les tuques, mitaines et foulards de William et Alexis furent retrouvés dans le lave-vaisselle; Elta s'était confortablement installée dans une des tuques et on retrouva Firmin dans la baignoire en compagnie de tous les livres d'histoires préférés des enfants! Mais rien n'avait préparé la famille au spectacle qui les attendait dans la cuisine, **on s'en doute...**

Heureusement, c'était les vacances et tout le monde put mettre la main à la pâte pour remettre de l'ordre dans la maison! Même Grand-père, le spécialiste de la chasse aux lutins, vint leur prêter main-forte, se sentant tout de même un peu **responsable du désordre et des dégâts.** Après tout, c'était lui qui avait appris à ses petits-enfants à piéger les lutins... Quels coquins, ces lutins, tout de même ! **Ce fut une matinée de rires et de cris dans la maison de Lac-à-la-Croix !** On s'affaira si bien qu'à midi, tout était rentré dans l'ordre, au grand soulagement de la maman. Et soudain, William se souvint que c'était le dernier matin...

— **Nous sommes le 24 décembre ; ce soir, ils doivent rejoindre le Père Noël !** dit-il tristement.

– Eh oui, mon garçon ! **Toute bonne chose a une fin,**

lui répondit son grand-père. N'oublie pas que tes nouveaux amis ont une très grande responsabilité : le Père Noël n'y arriverait pas sans eux ; c'est vaste, le monde, et des millions d'enfants attendent leurs cadeaux !

– Oh ! je comprends, grand-père, dit William d'une petite voix, mais ça me rend quand même un peu triste, on a tellement de plaisir depuis qu'ils sont là !

– Ce n'est que partie remise, tu verras ! Je crois qu'ils ont beaucoup apprécié leur séjour, je suis certain qu'ils reviendront l'an prochain ! Et pour être certains qu'ils vous retrouvent, nous installerons une traverse de lutins. Qu'en dis-tu ? proposa grand-père.

— Oh ! ce serait chouette ! dit le petit garçon, ravi.

Ce soir-là, avant de partir pour le réveillon, les quatre enfants dirent un **dernier adieu à leurs amis lutins** et leur souhaitèrent bon voyage en leur faisant de gros câlins.

– On vous attend l'an prochain, les coquins ! Vous pourrez suivre nos affiches de traverse de lutins pour revenir ; Grand-père a promis d'en installer... et maman vous préparera des galettes, de bonnes galettes au chocolat, comme vous les aimez... Vous nous manquerez ! Saluez le Père Noël pour nous et tous vos amis aussi ! Prenez soin de vous, au revoir ! dirent les enfants un peu émus.

Après avoir déposé leurs lutins sous le sapin, les enfants quittèrent la maison pour la fête en famille, tout à la joie de la nuit merveilleuse qui les attendait.

Sur le coup de minuit, **un tourbillon de poussière scintillante** s'engouffra dans la maison et propulsa nos quatre lutins aventuriers très haut dans le ciel. Comme ils étaient venus, ils traversèrent de vastes étendues de neige et de glace à la vitesse d'une étoile filante et dans un **POUF !** sonore, atterrirent au pôle Nord, **tout juste aux côtés du traîneau du Père Noël déjà prêt**

CARBO

pour le décollage. Père Noël, Georgio et tous leurs amis lutins coururent à leur rencontre en poussant des cris de joie.

– Alors, les copains, comment c'était? demandèrent-ils à Orion, Elta, Flocon et Firmin.

— Fabuleux!

– Fantastique!

– Féérique!

– Extraordinaire!

– En tout cas, d'après les rapports qu'on m'a faits, **je crois que vous avez semé la joie, mes amis!** Vous avez ravivé l'esprit de Noël et cela ne me laisse pas le choix, leur annonça le Père Noël... L'an prochain et les autres qui suivront, vous retournerez tous passer quelques semaines auprès des enfants, dans un endroit de votre choix!

À ces mots, l'assemblée des lutins poussa un énorme cri: **HOURRA! VIVE LE PÈRE NOËL!!** Tous avaient du mal à contenir leur joie: ils sautillaient, ils s'embrassaient... C'est Georgio, le fidèle contremaître, qui ramena tout le monde à l'ordre:

– Mes amis! Mes amis! Père Noël! Je vous en prie! dit-il, regardant sa grosse montre en fronçant les sourcils. Je partage votre joie, mais vous oubliez la longue nuit qui nous attend! Nous avons déjà cinq minutes de retard sur notre horaire... Allez, hop ! Les enfants du monde comptent sur nous ! dit-il du ton sérieux qui le caractérisait.

— **Tu as raison,** fidèle Georgio, dit le Père Noël un peu confus d'avoir un instant oublié sa mission, allons-y. **Les lutins, le temps presse !**

– Tu sais, je viens d'avoir une idée, murmura Orion à l'oreille d'Elta. Que dirais-tu de remplacer la montre de Georgio par une galette au chocolat, l'an prochain ? Je sais où on en trouve d'excellentes !

— **Quelle idée géniale, j'embarque !** lui répondit Elta avec un clin d'œil complice.

Description des lutins

ORION

Orion a mille ans, il est le plus âgé des lutins. Il est très gourmand. Nous le retrouvons souvent dans la cuisine.

ELTA

Elta est la meilleure amie d'Orion. Elle a presque mille ans mais c'est tout de même Orion le plus âgé. Elle se cache souvent dans les hauteurs, elle est attirée par les étoiles.

FIRMIN

Firmin est savant, bien éduqué et surtout très sophistiqué. Il aime les livres et adore les histoires que les enfants ont à lui raconter.

FLOCON

Flocon est coquine, ricaneuse et très coquette. Nous la retrouvons souvent là où il y a des vêtements.

GEORGIO

Georgio est le contremaître des ateliers du Père Noël. Il prend ses responsabilités au sérieux et on peut toujours compter sur lui. Derrière son air parfois bourru, il cache un cœur d'or.

Lexique

Abasourdi

Être figé par la surprise.

Arôme

Odeur.

Astucieux

Rusé, habile.

Benjamin

Le plus jeune enfant d'une famille.

Cohue

Grande agitation avec beaucoup de bruit.

Dénudé

Nu, sans feuilles.

Galette

Biscuit.

Kettles

Petits lacs circulaires, sortes de trous dans le sol, qui se sont formés lors des périodes glacières.

Sceptique

Qui a des doutes, qui ne croit pas.

Subtiliser

Voler, prendre quelque chose sans demander la permission.

Stupéfait

Surpris, étonné.

Vaste

Très grand, très étendu en superficie.

Signification de quelques expressions

Coup de maître

Grande réussite.

De la première heure

Depuis le début.

Dans les parages

Dans les alentours, dans les environs.

En chœur

Ensemble.

Être bouche bée

Expression imagée, avoir la bouche grande ouverte d'étonnement. En fait, être si étonné qu'on en perd la parole.

Être aux aguets

Être très attentif, observer.

Mal leur en prit

C'était une mauvaise idée et il y a eu des conséquences inattendues.

Qu'importe

Peu importe, ce n'est pas grave.

LIRE ET RÉFLÉCHIR : QUESTIONS ET EXERCICES PÉDAGOGIQUES

Orion est un très vieux lutin qui travaille avec le Père Noël depuis longtemps. Comme tous les lutins, il adore les enfants, mais son travail dans les ateliers du pôle Nord le tient éloigné de ses petits amis qu'il aime tant. Un jour, il demande et obtient la permission de prendre des vacances là où il pourra les voir et peut-être leur apporter un peu de magie de Noël. En compagnie de sa copine Elta, Orion est « adopté » par quatre enfants et il ne manque aucune occasion de les étonner et de les émerveiller. À cette époque de l'année, le plaisir ne se limite pas seulement aux cadeaux qu'on déballe ; l'amitié est aussi une grande source de joie et de bonheur… C'est ce que les enfants vont découvrir.

Objectifs pédagogiques

- Lire et apprécier des textes variés;
- Exercer son jugement critique et réfléchir sur le sens de Noël;
- Développer l'imaginaire.

Étude du texte

1. Quel âge a Orion?

   Réponse : Orion a 1000 ans.

2. Pour quelle raison le Père Noël a-t-il envoyé son lutin au Lac-Saint-Jean et pas ailleurs dans le monde lors de leur première sortie?

   Réponse : Parce qu'il serait facile de repérer l'endroit, à cause des kettles, et d'aller le chercher en cas de besoin.

3. Comment Orion fait-il pour se rendre auprès des enfants à Lac-à-la-Croix?

   Réponse : Il utilise une poudre magique qu'il met sous ses bottes.

4. Quel est le mets préféré des lutins?

   Réponse : Le chocolat.

5. Vrai ou faux? Les lutins se figent comme des statues lorsqu'il fait jour.

   Réponse : Vrai.

6. Selon toi, quelle est la pièce préférée des lutins dans la maison?

   Réponse : La cuisine, parce qu'ils sont gourmands.

7. Vrai ou faux? Le Père Noël avait donné la permission à Elta de rejoindre Orion.

   Réponse : Faux, elle a volé la poudre magique pour le rejoindre.

8. Pourquoi les lutins doivent-ils absolument repartir le soir du réveillon?

   Réponse : Parce que le Père Noël a besoin d'eux pour la distribution des cadeaux.

9. Comment fait-on pour communiquer avec les lutins?

   Réponse : Par lettre. On leur écrit, ils nous répondent.

10. Quel changement survient dans la vie des lutins à la suite de l'aventure d'Orion?

Réponse : Ils pourront dorénavant tous prendre des vacances et apporter la magie de Noël dans le monde.

Et toi?

1. Si tu étais un lutin, quel bon tour jouerais-tu aux enfants?
2. As-tu déjà observé des traces de pas dans la neige qui pourraient être des traces de lutins?
3. As-tu déjà tenté de capturer un lutin? Si oui, as-tu réussi?
4. Lors de l'aventure de Bébé Lutin, les lutins doivent se cacher des Innus qui cueillent des bleuets. Connaissais-tu ce peuple amérindien de chasseurs-cueilleurs? En connais-tu d'autres?
5. Que connais-tu des peuples amérindiens et de leur mode de vie ancestral?

Activités proposées

- À l'aide de tes crayons de couleur, imagine et dessine un lutin du Père Noël.
- Sur une feuille, écris un court paragraphe qui donnera la description de ton lutin (son apparence physique, ses vêtements). N'oublie pas de lui donner un nom.
- Sur une carte, observe le chemin parcouru par les lutins du pôle Nord au Lac-Saint-Jean.
- Sur Internet, effectue des recherches sur le phénomène de kettles.